Ex-libris

RENÉ LÉVESQUE

Collection
« Passions »

Déjà parus :

Alain de Repentigny
Maurice Richard

Réjean Tremblay
Nadia

LOUISE BEAUDOIN • FRANÇOIS DORLOT

RENÉ LÉVESQUE

Collection
« Passions »

Les Éditions
LA PRESSE

Catalogage avant publication de Bibliothèque et Archives du Québec et de Bibliothèque et Archives Canada

Beaudoin, Louise, 1945-

René Lévesque
(Collection « Passions »)
ISBN 978-2-923194-41-7

1. Lévesque, René, 1922-1987 - Anecdotes. I. Dorlot, François. II. Titre. III. Collection.

FC2925.1.L5B42 2007 971.4'04092 C2007-940115-5

Éditeur délégué et directeur de la collection :
Ara Kermoyan

Traitement des images et infographie :
Marc Leblanc

Révision :
Jean-Pierre Leroux

Coordination :
Christine Rebours

Photographie de la couverture :
© La Presse

Photographie de la couverture quatre :
© Pierre Côté/*La Presse*

L'Éditeur bénéficie du soutien de la Société de développement des entreprises culturelles du Québec (SODEC) pour son programme d'édition et pour ses activités de promotion.

L'Éditeur remercie le gouvernement du Québec de l'aide financière accordée à l'édition de cet ouvrage par l'entremise du Programme de crédit d'impôt pour l'édition de livres, administré par la SODEC.

Nous reconnaissons l'aide financière du gouvernement du Canada par l'entremise du Programme d'aide au développement de l'industrie de l'édition (PADIÉ) pour nos activités d'édition.

Dépôt légal – 2e trimestre 2007

ISBN 978-2-923194-41-7

Imprimé et relié au Canada

Les Éditions
LA PRESSE

Les Éditions La Presse
7, rue Saint-Jacques
Montréal (Québec)
H2Y 1K9

À Alice et Philippe Amyot,
sœur et beau-frère de René Lévesque,
qui comptèrent tant dans sa vie.

On ne peut prétendre aimer le peuple sans rien aimer de ce qu'il aime.

René Lévesque

NOTICE

On trouvera les légendes des photos en pleine page à la fin du volume.

Les commentaires manuscrits de René Lévesque figurant au verso de certaines photos ont été reproduits intégralement.

Quelques photos en noir et blanc ont été rehaussées de crayons de couleur.

Un papier Saint-Gilles avec inclusions florales de Charlevoix a été reproduit pour enrichir certaines pages de cet ouvrage.

*
* *

Il nous a été impossible de retracer tous les auteurs des photographies apparaissant dans cet ouvrage. S'il y avait des omissions, l'éditeur apprécierait toute information à ce sujet.

Sommaire

Encore un livre sur René Lévesque !

Oui !

Un livre commémoratif : il y a cette année vingt ans que René Lévesque disparaissait.

Un livre-hommage écrit avec passion sur cet homme de passions.

Un livre-témoignage sur ce qu'était l'homme, dans les grands moments de sa vie qui se sont confondus avec beaucoup de grands moments de la vie du peuple du Québec. Dans les moments, aussi, de sa vie de tous les jours, tout aussi fascinants.

Un album de photos qui prolongent le récit et éclairent sous un jour souvent nouveau cet homme à la physionomie si diverse.

Un livre unique qui ne relate que des témoignages directs : rien n'y est dit que nous n'ayons vécu l'un ou l'autre, l'un et l'autre.

Nous avons eu l'extraordinaire privilège de connaître René Lévesque dès les années soixante, alors qu'il n'était pas encore souverainiste, de le côtoyer pendant plus de quinze ans, avant qu'il soit élu premier ministre, pendant qu'il le fut, et durant les deux courtes

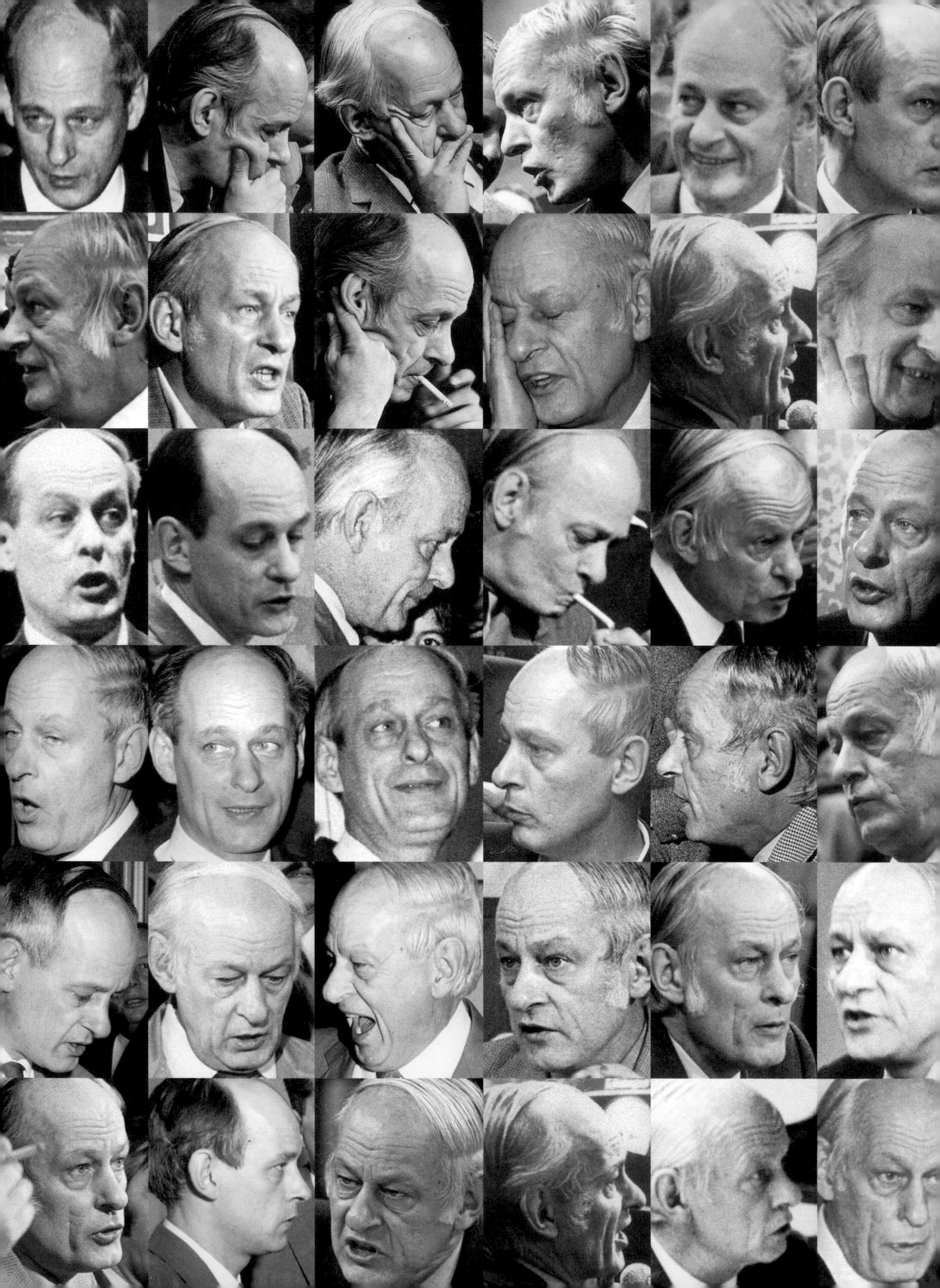

dernières années de sa vie où il retourna à sa passion initiale de journaliste.

Au cours de ces quinze années, nous avons participé avec lui à des dizaines d'activités publiques ou officielles. Nous avons parcouru la France avec lui, dès 1972, puis à chacune (sauf une exception) de ses visites officielles dans ce pays. Nous avons partagé d'innombrables repas chez nous, chez des amis communs, ou plus rarement chez lui, avec sa femme, Corinne, jusqu'à cet ultime souper à l'île des Sœurs, où le couple venait tout juste d'emménager, une semaine avant sa mort.

*
* *

Redoutable entreprise que d'écrire sur René Lévesque, surtout s'agissant de témoigner de sa vie. Ne serait-ce pas vaniteux de nous dire ses amis, lui qui en comptait si peu ? De quel droit parler de la vie privée de Lévesque ? N'est-ce pas, même vingt ans après sa mort, forcer la barrière qu'il avait érigée, et toujours défendue avec vaillance, entre sa vie publique et sa vie privée ?

Mais voilà, le bonheur que nous avons éprouvé à connaître René Lévesque, nous ne le voulons pas égoïste. Nous voulons le partager avec toutes celles et tous ceux qui n'ont pas eu notre chance de se frotter à cet homme d'exception chez qui tout était grand (sauf

René Lévesque et son père posent fièrement devant une Studebaker décapotable Silver Six,
une belle mécanique surpuissante. Été 1925.
Collection particulière

Devant la maison familiale à New Carlisle.
De gauche à droite : Diane Dionne, Alice, Fernand, André et René Lévesque. Été 1931.
Collection particulière

la taille, selon la belle formule d'Yves Michaud !). Nous aimerions que les jeunes, pour qui il n'est qu'un nom dans les manuels d'histoire, sachent qu'il y avait jadis à la tête de leur pays un homme obsédé par la probité, investi du sens de l'État, passionné par l'avenir du Québec, très loin au-dessus des critères que se fixent le plus souvent, de nos jours, les politiciens.

Nous racontons ce que fut le René Lévesque que nous avons connu, tel que nous l'avons connu, par petites touches impressionnistes. Pour illustrer le récit, et le prolonger au-delà des périodes ou des événements dont nous avons été témoins, nous avons choisi des photos, pour la plupart inédites, dont plusieurs représentent Lévesque sous un jour méconnu. Hélas, que de scènes reviennent à notre esprit sans qu'aucune trace ne se soit retrouvée sur pellicule : rien de nos soupers animés ; rien des scènes cocasses, comme la figure ahurie d'un pompiste du boulevard Sainte-Anne, près de Québec, voyant arriver une minoune (notre voiture), tombée en panne d'essence à quelques dizaines de mètres de son garage, poussée par « Ti-Poil » !

René Lévesque, homme passionnant, homme de passions.

René Lévesque, Alice Amyot, Philippe Amyot et Corinne Côté-Lévesque aux Bermudes. 1979.
Collection particulière

Chez Louise Beaudoin et François Dorlot aux Éboulements.
De gauche à droite : Philippe Amyot, Louise Beaudoin, Mary Morin, Claude Morin, Alice Amyot, sœur de René Lévesque, Corinne Côté-Lévesque et René Lévesque faisant le pitre.
Été 1976.
Photo : François Dorlot

René Lévesque et Corinne Côté-Lévesque en voyage de noces en Provence. 1979.
À gauche, Alice Amyot.
Photo : Philippe Amyot

Automne 1966. Depuis le 5 juin dernier, le père de la nationalisation de l'électricité, le battant de la Révolution tranquille, la figure de proue de « l'équipe du tonnerre » que dirigeait le premier ministre Jean Lesage, René Lévesque, est devenu député de l'opposition.

L'Union nationale, sous la gouverne de Daniel Johnson père, avait obtenu ce 5 juin 41 % des votes, le Parti libéral, 47 %. Et pourtant, c'est l'Union nationale qui a pris le pouvoir avec 56 sièges contre 50.

Cette distorsion démocratique interpellait évidemment l'étudiante en histoire que j'étais alors à l'Université Laval. Avec mes collègues de l'Association générale des étudiants de Laval (AGEL), dont j'étais vice-présidente, j'ai décidé d'inviter René Lévesque à venir nous entretenir du sujet. À l'époque plus encore qu'aujourd'hui, à Montréal comme à Québec, les étudiants organisaient toutes sortes de rencontres et de débats politiques qui remplissaient les salles. Jean Taillon, président de l'AGEL, et moi avons pris rendez-vous avec René Lévesque. Il nous a reçus à son bureau du Parlement en acceptant immédiatement notre invitation.

Dans la grande salle du pavillon Pollack pleine à craquer, Lévesque commence ainsi son intervention : « Il y a une petite-bourgeoise de la Grande-Allée qui s'intéresse vaguement à la démocratie et qui m'a proposé de venir vous rencontrer. » Il aura d'autres occasions de me gratifier d'un tel compliment.

Après une analyse pénétrante du déficit démocratique de notre système électoral uninominal à un tour, Lévesque se lance, pour la première fois en public, à ma connaissance, dans un plaidoyer passionné en faveur d'une forme de scrutin proportionnel. Cette idée lui restera chevillée à l'esprit, puisqu'il l'introduira plus tard dans le programme du Parti québécois.

À partir de ce moment, j'ai croisé René Lévesque régulièrement à L'Aquarium, ce restaurant de la rue Sainte-Anne dans le Vieux-Québec, rendez-vous de la faune politique, qu'il fréquentait assidûment en compagnie d'autres députés libéraux. Les discussions se terminaient souvent tard dans la nuit : on ne s'y ennuyait pas !

L'année suivante, à la suite du choc provoqué par le « Vive le Québec libre ! » lancé le 24 juillet par le général de Gaulle du haut du balcon de l'hôtel de ville de Montréal, un député libéral, François Aquin, démissionne. Il voulait marquer sa dissidence à l'endroit de Jean Lesage qui non seulement n'avait pas applaudi de Gaulle, mais surtout n'avait pas voulu profiter de la situation pour faire avancer les positions québécoises face à Ottawa. Je téléphone à René Lévesque pour lui dire que je veux le rencontrer. Il me donne rendez-vous au bar de l'hôtel Clarendon, son pied-à-terre à Québec.

Ne doutant de rien du haut de mes vingt ans, je l'exhorte, ni plus ni moins, à démissionner lui aussi du Parti libéral et à siéger comme indépendant. Avec le recul, je me rends compte que tout autre que lui m'aurait envoyée promener, ou suggéré à tout le moins de m'occuper de mes oignons, c'est-à-dire de mes études. Eh bien, non ! C'est avec une patience angélique qu'il m'explique que le fruit n'est pas mûr, et qu'il ne veut pas quitter son parti sur une question qui lui paraît, partiellement du moins, extérieure au Québec. Rien ne sert de brusquer les choses. Au prochain congrès du Parti libéral qui se tiendra à l'automne, il entend présenter un projet constitutionnel dont il m'expose les grandes lignes et qui deviendra plus tard la souveraineté-association. Selon l'accueil qui en sera fait, il décidera alors de rester ou de partir. En fait, peu optimiste sur l'issue de sa proposition, il ne doute pas de devoir démissionner à court terme. Mais il veut franchir une à une toutes les étapes, ne pas donner l'impression de partir sur un coup de tête en guise de protestation contre les déclarations de Jean Lesage à propos du « Vive le Québec libre ! ».

Et voilà ! Vingt ans d'histoire résumés en trois pages. Non pas d'histoire au passé, mais au futur.

C'était Lévesque.

© Jacques Nadeau

Photo prise en 1979, lors de l'élection partielle dans Jean-Talon.
On remarquera les auteurs du présent ouvrage, Louise Beaudoin, derrière René Lévesque,
et François Dorlot à l'extrême droite.

Au verso, une dédicace manuscrite :
« À Louise, en souvenir d'une mauvaise partie de pool... mais d'une élection qui n'est que la 2e de trois !

À la prochaine,
René L. »

En ce soir du 12 novembre 1962 se déroule un événement politique qui marquera le Québec à jamais.

Dans l'immense salle du Palais du commerce, là où s'élève maintenant la Grande Bibliothèque, le premier ministre Jean Lesage clôt la campagne électorale en répétant devant 11 000 personnes le slogan « Maîtres chez nous » qu'il martèle de sa voix théâtrale, avec sa façon bien particulière de grasseyer les *r*.

Lesage est magnifique d'éloquence, mais la vedette incontestée de la réunion, et de toute la campagne, est bien sûr le ministre des Richesses naturelles, car c'est lui, René Lévesque, qui, contre vents et marées, a persuadé Lesage de mener une élection référendaire sur le thème de la nationalisation de l'électricité.

Lévesque peine pour s'exprimer, tant d'innombrables ovations interrompent sa fougue. L'auditoire est survolté, c'est le cas de le dire, mais n'est pas composé que de partisans.

Ce grand projet, en effet, en plus de l'appui des libéraux, a celui des membres du Rassemblement pour l'indépendance nationale, d'où ma présence à cette assemblée.

C'était la première fois que je voyais René Lévesque en chair et en os. Et, comme tout le monde ce soir-là, je n'ai pas été déçu. Du grand, du très grand Lévesque !

Deux ans plus tard, à l'Université de Montréal, René Lévesque, toujours ministre des Richesses naturelles, et Jacques-Yvan Morin, professeur de droit international, débattent de la « formule Fulton-Favreau » de modification de la Constitution. Le projet est compliqué, et même incompréhensible ; surtout, il ne répond en rien aux revendications du Québec. Lévesque défend la formule, mais, cette fois, il ne convainc pas. Tout simplement parce qu'il n'est pas convaincu. On le sent déchiré de devoir livrer un combat douteux imposé par la discipline de parti. De son côté, Morin manie avec une égale virtuosité la dissection juridique et l'humour décapant (du genre : sous des allures affriolantes, Miss Fulton-Favreau cache des dessous sordides). À l'issue de ce débat, remporté haut la main par Morin, c'est un Lévesque meurtri qu'un petit groupe d'étudiants va rencontrer. Certains, des militants libéraux, pour lui adresser des félicitations gênées. D'autres, dont je suis, pour l'inviter, maintenant que le fédéralisme s'est révélé une impasse, à rallier les rangs des indépendantistes ; il ne répond à cette insolence que par des airs de méchante humeur. Le fruit n'était pas mûr.

Au printemps 1972, René Lévesque, alors président du Parti québécois, décide d'entreprendre une tournée européenne axée principalement sur la France. Défait aux élections de 1970, les premières du PQ, il n'occupe aucun poste électif. L'aile parlementaire du PQ, maigre cohorte de six députés, est dirigée par son contradicteur d'hier, Jacques-Yvan Morin. Lévesque le charge de se rendre à Paris pour amorcer cette tournée. Morin entre en contact avec quelques personnes pour savoir qui pourrait sur place organiser le voyage ; à droite comme à gauche, le nom d'un étudiant québécois de Paris revient sur les lèvres de ses interlocuteurs. Et c'est ainsi que Morin, dont j'avais été l'élève à l'Université de Montréal, me confie le mandat de planifier la tournée qui aura lieu en juin prochain.

Le 4 juin, un dimanche matin, je me rends à l'aéroport d'Orly pour accueillir René Lévesque et son fidèle conseiller depuis le temps des Richesses naturelles, un avocat de Joliette du nom de Bernard Landry. (Louise nous rejoindra un peu plus tard.) Lévesque est d'une humeur enjouée, parfaite, qu'il gardera tout au long des plus de deux semaines que durera sa tournée, même lorsque le programme, trop chargé parfois, lui imposera des contraintes d'horaire excessives. Au cours de ce voyage, dont il comparera plus tard le rythme à celui d'une campagne électorale, il sut faire preuve d'une écoute et d'une attention exemplaires à l'égard de ses interlocuteurs, d'une patience et d'une disponibilité rares envers l'organisateur. Non, contrairement à ce que l'on entend ou lit trop souvent, l'humilité de René Lévesque n'était pas feinte. Pas toujours, en tout cas.

Toute la nuit dernière, l'eau n'a cessé de tomber gouttes à gouttes (au pluriel : floc-floc, floc-floc-floc) dans la chambre où je tâchais de m'endormir... et d'oublier la « minute de vérité » de ce matin. On gèle tout l'hiver dans ce bon vieil étage des bonnes de la rue d'Auteuil ; sauf quand il pleut comme hier et alors ça coule. L'été, on crève. Pourtant, j'adore ça. Quand le petit foyer de l'ancien temps flamboie comme un vrai démon, et que le FM n'est pas trop mauvais, je sors complètement de la routine et des pseudo-urgences du « J », je me retrouve en quelque sorte hors du temps et je vagabonde. En lisant d'ordinaire n'importe quoi sauf ce que, probablement, il faudrait que je lusse !

(note manuscrite de René Lévesque ;
cité dans *Derrière des portes* de Martine Tremblay)

C'est en 1977 que je suggérai à René Lévesque, qui cherchait un pied-à-terre dans la capitale, d'aller voir ce que mes amis Francine et Jacques Joli-Cœur pouvaient lui offrir. Dans les étages supérieurs de leur vaste demeure du XIXe siècle, ils louaient quelques appartements idéalement situés, presque en face du Parlement. Il s'y installa aussitôt, et y resta jusqu'à son retour définitif à Montréal en 1985. Une plaque de bronze apposée sur la façade de ce 91 bis, rue d'Auteuil le rappelle aux passants. Il était là comme à l'hôtel, toutes les commodités lui étant dispensées. Mais surtout, il devint comme un membre de la famille

Joli-Cœur, participant aux fêtes, aux anniversaires, aux baptêmes. Quand il arriva, il y avait deux enfants, garçon et fille. Il en vit naître deux autres, garçon et fille également : tout concourait à lui offrir une sorte de havre paisible, loin de la tourmente politique. Corinne ne venait que rarement à Québec, préférant Montréal où il la rejoignait toutes les fins de semaines. Il adorait cajoler les bébés ou discuter ferme avec les aînés. S'il avait un creux dans son horaire, ou dans son estomac, il avait toujours un livre à sa disposition, une assiette pour se sustenter. De surcroît, ses hôtes, admirables d'hospitalité, ne ménageaient pas leur peine à lui organiser d'innombrables repas ou réceptions entre amis auxquels étaient souvent invitées des personnalités étrangères que Jacques avait à connaître de par ses fonctions au ministère des Relations internationales.

François et moi demeurions à une encablure de la rue d'Auteuil. Le 91 bis devint aussi notre chez-nous.

C'est dire que nous avons eu le privilège, ou plutôt le bonheur, de côtoyer des années un René Lévesque dans ce qu'il était de plus humain, de plus authentique.

René Lévesque avec Sophie Joli-Cœur, au 91 bis, rue d'Auteuil. 1978.
Collection particulière

Ce soir-là au 91 bis, rue d'Auteuil, en plus bien sûr de nos hôtes, Francine et Jacques, se trouve un ami à nous tous venu d'Ottawa avec une collègue d'origine allemande. Appelons-la Olga.

Comme Olga travaille à la Société canadienne des ports (Ports Canada), la conversation roule sur le sujet. À son habitude, Lévesque, provocant, lui demande comment on peut bien comprendre le fonctionnement d'un port maritime depuis une ville comme Ottawa. Quand elle avoue être originaire d'une ville sans aucune façade maritime, Munich, il continue sur sa lancée : « C'est un comble ! Non seulement vous gérez les ports à partir d'Ottawa, mais en plus vous êtes originaire d'une ville allemande de l'intérieur des terres ! Pas étonnant que la politique fédérale en la matière soit une catastrophe ! Moi, par exemple, je pourrais concevoir brillamment une telle politique puisque je suis né au bord de la mer. » Olga ne comprend pas tout de suite que le premier ministre du Québec la mène gentiment en bateau ; pour elle, de toute évidence, René Lévesque est un plouc qui administre une petite province comme une autre, sans grande importance à côté du gouvernement central qui, lui, s'occupe de ce qui compte. Elle entreprend donc avec hauteur, d'un ton suffisant, de lui donner une leçon sur la façon de mener les affaires de l'État en général et des ports en particulier.

Bien entendu, cette conversation du plus grand comique, sauf pour la principale intéressée, se déroule en anglais. Au fait, demande tout à coup Lévesque, « est-il bien normal d'occuper une si haute fonction à Ottawa sans parler ni comprendre un traître mot de la langue qui est pourtant celle de la province par laquelle transitent les plus importants échanges maritimes du Canada ? » Avant qu'Olga ne revienne de sa surprise et de son indignation à propos de ce qui, dans son esprit, n'est sans nul doute qu'une basse attaque, Lévesque, l'œil aussi pétillant de malice que s'il abattait un carré d'as, s'adresse à elle en allemand. Un allemand sans doute rudimentaire, mais compréhensible, vu la réaction d'Olga. Pour les autres, il traduit : « Je lui ai dit que ce n'est pourtant pas si difficile d'apprendre une langue étrangère, j'ai bien appris l'allemand ! »

Du coup, la stupeur n'est plus seulement dans le regard d'Olga, mais dans celui de nous tous. On savait vaguement que Lévesque avait jadis quelque peu appris cette langue ; jamais personne, cependant, ne l'avait entendu la parler !

« Vous allez voir, je chante aussi dans la langue de Goethe », annonce Lévesque en se dirigeant vers le grand piano du salon tout en demandant à Francine Joli-Cœur de l'accompagner. Il lui chuchote le titre de ce qu'il va nous chanter. Il sait que Francine est capable de tout jouer, à l'oreille ; elle a le don d'accompagner au piano les pires comme les meilleurs, de mettre en valeur les belles voix, de sauver les éraillées et de couvrir de puissants accords les notes les plus discordantes. Il entonne :

Vor der Kaserne
Vor dem großen Tor
Stand eine Laterne
Und steht sie noch davor

L'effet de surprise sur Olga est au-delà de ce qu'il espérait, même si la qualité vocale de l'interprète ne passera pas à l'histoire ! Il l'invite à se joindre à lui. Elle hésite un instant, puis, à l'unisson, ou à peu près, ils poursuivent la célèbre chanson *Lili Marleen* :

So woll'n wir uns da wieder seh'n
Bei der Laterne wollen wir steh'n
Wie einst Lili Marleen.

Dès la fin de ce premier couplet, Olga est obligée de reconnaître que l'allemand de son compagnon vocal est tout à fait compréhensible, même si l'accent laisse un peu à désirer. Et ils enchaînent ainsi les trois couplets suivants. Mais au cinquième, Olga abandonnera,

en panne de mémoire, laissant son duettiste, pas peu fier, terminer seul.

Lévesque se lance alors dans un des rares récits que nous ayons entendus de sa bouche sur la Deuxième Guerre mondiale. Il raconte, en forme d'épopée, l'histoire de *Lili Marleen.* Cette chanson, créée en 1938 à partir d'un poème écrit à la fin de la Première Guerre mondiale par un fantassin allemand au fond de sa tranchée, sera enregistrée un an plus tard par Lale Andersen. Succès nul. En 1940, un soldat de l'Afrika Korp en fait une « demande spéciale » à Radio Belgrade, station allemande émettant depuis la Yougoslavie occupée vers l'armée de Rommel qui vient d'envahir l'Afrique du Nord. Succès fulgurant, puis fabuleux. Dès lors, *Lili Marleen* est diffusée chaque soir, et les troupes allemandes de partout écoutent religieusement cette complainte de l'amoureuse esseulée par le départ à la guerre de son homme. Le haut commandement ne réussit pas à bannir des ondes cette pièce qu'il juge fort peu guerrière et démoralisante. Aussi les Panzerdivisions transforment-elles la langoureuse mélodie en un air martial. Mais le plus singulier, c'est que *Lili Marleen* est immédiatement traduite en français, puis en anglais, et devient ainsi une sorte de chanson-culte pour les troupes de tous les fronts, de l'Axe comme des Alliés.

René Lévesque retourne près du piano et chante la version française immortalisée par Suzy Solidor dès 1940 :

Devant la caserne
Quand le jour s'enfuit,
La vieille lanterne
Soudain s'allume et luit.
C'est dans ce coin-là que le soir
On s'attendait remplis d'espoir
Tous deux, Lily Marlène.

Le décor était idéalement planté pour interpréter la chanson : la fenêtre du salon du 91 bis, rue d'Auteuil donne sur la caserne de la Citadelle dont la cour est éclairée par une lanterne qu'on peut imaginer aussi vieille que le bâtiment ! S'adressant, en anglais cette fois, à Olga, René Lévesque lui demande si elle connaît cette version-ci, dont il chante le dernier couplet, sous l'oreille attentive de Francine qui a tout le mal qu'on suppose à accompagner cet interprète pas tout à fait professionnel :

Der Führer ist ein Schinder,
Das seh'n wir hier genau.
Zu Waisen macht er Kinder,
Zur Witwe jede Frau.
Und wer an allem schuld ist, den
Will ich an der Laterne seh'n !
Hängt ihn an die Laterne !
Deine Lili Marleen.

Non, Olga ne connaît rien de cette mouture. Et Lévesque, décidément intarissable sur le sujet, explique.

Tous les soirs, la BBC, en même temps que la Deutsche Welle (la radio allemande), diffusait cette version chantée par une antinazie réfugiée à Londres. « Et Dieu sait que je l'ai entendue, ajoute-t-il, lorsqu'en 44-45 j'étais à Londres en poste à l'ABSIE [American Broadcasting System in Europe] ! Ça faisait partie de la PW, la guerre psychologique, dont nous étions les artisans. Dans cette version, on demande aux soldats allemands ce qu'ils font loin de leur patrie, sur les champs de bataille de Russie ou d'Afrique. Non, leur dit-on, vous ne reverrez jamais votre Lili Marleen car cette guerre n'est bonne qu'à vous tuer, à fabriquer des veuves et des orphelins ; et à quoi servira bientôt cette lanterne qui éclairait les amoureux : à pendre vos chefs ! »

Dans ses mémoires, il racontera sa visite « touristique », à Berchtesgaden, le nid d'aigle perché sur une montagne de Bavière où Hitler passait une bonne partie de son temps durant la guerre. Les amis de la division Leclerc avaient déjà tout ratissé, mais dans les débris, il dénicha un disque, autographié s'il vous plaît, de *Lili Marleen*, « cette pin up imaginaire de tous les camps ».

Mais revenons à cette soirée. « Et puis, conclut-il, après la guerre, j'ai entendu la plus grande des interprètes de *Lili Marleen*, l'Ange bleu, Marlène Dietrich, l'antinazie par excellence, nous en donner une version absolument sensuelle, débarrassée de l'attirail guerrier dont on l'avait affublée. » À cette évocation, ses yeux, plus étonnamment bleus que jamais, se perdirent dans des pensées lointaines et s'embuèrent un instant.

Sous une affiche « Défense de fumer ». 1977.
Photo : Michel Gravel, *La Presse*

1984.
Photo : Bernard Brault, *La Presse*

Deux grands fumeurs : Claude Morin et René Lévesque,
lors du cinquième congrès du Parti québécois. 1974.
Photo : Jean Goupil, *La Presse*

Le ministre des Relations internationales et du Commerce extérieur
Bernard Landry allume une cigarette ! 1984.
Photo : Jacques Nadeau, Archives *La Presse*

Le plus souvent, nos dîners se tenaient le samedi soir. Ils réunissaient six, huit ou dix convives. On y retrouvait d'ordinaire, outre René et Corinne, Alice, la sœur de Lévesque, et son mari Philippe Amyot, Claude et Mary Morin, Monique et Yves Michaud, Francine et Jacques Joli-Cœur, Lorraine et Bernard Landry. On se réunissait chez nous, d'abord dans le petit appartement que nous habitions terrasse Dufferin, à côté du Château Frontenac, puis rue Sainte-Geneviève, ou chez les Amyot, les Joli-Cœur, les Morin.

C'est peu dire que ces repas étaient animés ! On y discutait bien sûr politique, on mangeait du prochain, mais on y parlait aussi beaucoup de bouffe, de cinéma, de livres, de l'actualité internationale.

Les goûts de René Lévesque en matière culinaire étaient tranchés. Il aimait bien manger, mais il avait une manière très personnelle d'apprécier la nourriture et de l'apprêter. À l'époque, dans les années soixante-dix, le vrai foie gras était introuvable au Québec. À chaque retour de Paris, Louise se transformait en contrebandière. Elle passait au nez et à la barbe des sourcilleux douaniers ce produit hautement toxique, accompagné parfois de fromages au lait cru, venus d'un pays où, comme on sait, les normes de sécurité alimentaires sont nulles à côté du haut niveau de sophistication de celles du Canada. (Il faudra attendre le Bloc québécois et l'appui inopiné du prince Charles, grand défenseur du patrimoine agricole français, pour enfin savourer ces délices en toute légalité.) Une fois sur la table, le foie gras n'en avait que plus de saveur. Au désespoir des convives, Lévesque pratiquait avec ardeur ce que l'on qualifiait unanimement de crime de lèse-gastronomie. Sourd aux hurlements de la tablée, il enterrait ce mets délicat sous une tonne de poivre ou, pire encore, le noyait dans une demi-bouteille de sauce Tabasco, clamant haut et fort que cet assaisonnement en rehaussait la finesse.

En bon Gaspésien, il adorait le gibier. Un automne, François ramène de Charlevoix des perdrix qu'il avait chassées et décide de les mitonner avec des noisettes, selon l'authentique recette de la grand-mère d'une amie, gaspésienne, comme il se doit. Sitôt arrivé dans la cuisine (qui servait dans notre petit trois-pièces de salle à manger), Lévesque soulève le couvercle de la marmite et s'exclame : « Ah ! les belles perdrix ! » Puis ajoute aussitôt, d'un air de dégoût : « Mais qu'est-ce que c'est que ça ? Où est le chou ? » François s'évertue à lui expliquer l'origine de la recette ; rien à faire : « La perdrix, ça se cuit avec des choux, il n'y a aucune autre façon de la préparer, ma mère la faisait toujours aux choux, et elle s'y connaissait. Quel gaspillage ! » À chaque bouchée, une nouvelle grimace, assortie d'une nouvelle imprécation : « Quel massacre ! » Ou : « Ça aurait été si bon si… » Il en reprit, bien sûr, en suça les moindres os et n'en laissa pas une miette dans son assiette. Et en nous quittant : « Merci, superbe soirée, mais quelle tristesse, gâcher de la si bonne perdrix… »

Pour ce qui est des poissons et des fruits de mer, le Gaspésien s'y connaissait. Mais en ce domaine aussi, son inflexibilité était à toute épreuve. Il y avait deux sortes de produits de la mer : ceux qui venaient des eaux froides, ceux qui venaient des eaux chaudes. Les premiers étaient parés de toutes les vertus, les seconds se rangeaient dans la catégorie de nos malheureuses perdrix. De retour du Sud, il se lamentait : « Ah, la langouste, qui n'a pas la moitié du quart de la valeur de la saveur du homard ! » Ou bien, évoquant un voyage sur la côte d'Azur : « Le loup de mer, quelle fadaise à côté de la morue fraîche ! La bouillabaisse aurait du bon, si elle était faite avec de vrais poissons. » Il fallait donc user de prudence en lui servant du poisson. Mais reconnaissons qu'il ne manquait pas de suite dans les idées : de tous les plats que nous lui avons préparés, c'est sans doute l'omble de l'Arctique qu'il apprécia le plus.

La Gaspésie était évidemment la plus belle région du Québec. Aucune autre ne souffrait la comparaison. Un magnifique dimanche de juillet, assis à côté du chalet que nous louions à l'époque, sur un promontoire face au fleuve qui mesure à cet endroit dans les vingt kilomètres de large, au pied du mont des Éboulements, la vue se perdant dans la succession des caps plongeant dans ce que les Charlevoisiens appellent la mer, la certitude de René Lévesque vacilla. Il admit, quelques gorgées de vin l'y poussant, que Charlevoix était peut-être la plus belle région du Québec. Il se ressaisit aussitôt : « Non, c'est vraiment la Gaspésie qui l'emporte ! » Et l'enfant de New Carlisle de se lancer, pour faire oublier cet instant de faiblesse, dans une ode à la Gaspésie qui demeurera pour nous une pièce d'anthologie.

Pour Lévesque, ces soirées roboratives étaient des moments de grande détente. Et quel bonheur pour nous tous de participer à son hygiène de vie ! Mais bien souvent, comme pour se défaire des épreuves qu'il avait subies durant la semaine, il semblait vouloir nous en infliger à notre tour d'aussi rudes. Et alors, il déclenchait sur l'un ou l'autre d'entre nous des attaques aussi irréelles que gratuites. Un soir, il prend pour cible Claude Morin d'une façon telle que celui-ci rédige séance tenante sa démission sur le couvercle d'une boîte de gâteau. Sans lendemain, évidemment. Une autre fois, il pique Louise, à propos de rien, d'une manière absolument outrancière : « Tu n'es qu'une petite-bourgeoise de la Grande-Allée qui ne représente rien, qui ne comprend pas le peuple, qui ne sera jamais capable de se faire élire. » Amabilités répétées *ad nauseam* sur toutes les variations possibles. Louise est en larmes. À la fin de la soirée, il quitte la maison de bonne humeur, comme si de rien n'était.

Le lendemain matin, un dimanche, nous nous retrouvons lui et moi Chez Richard, l'épicerie du Vieux-Québec, à acheter du lait pour le déjeuner. Je l'apostrophe : « Monsieur Lévesque, vraiment, hier soir, c'était trop, vous avez fait de la peine à Louise. » D'un regard aussi bleu que narquois, il me rétorque : « Vraiment ? Vous trouvez ? Pourquoi vous en plaindre ? Vous avez eu le bonheur de la consoler ! » Rien de cela, bien sûr, n'était de nature à altérer l'estime et l'affection que nous lui portions. Bien au contraire, tout était grâce.

René Lévesque était obsédé à la fois par la quête de la perfection, ou plus modestement de la bonne décision à prendre, et par les contraintes de toutes sortes qui rendaient l'objectif idéal inaccessible. Quand il répétait à satiété la formule, plutôt inadéquate pour un premier ministre, « à mon humble avis », il ne manifestait pas tant de l'humilité ou de la fausse modestie qu'un aveu d'impuissance devant les difficultés qui transforment la vie politique en une interminable course d'obstacles.

Aussi les maximes qu'il faisait siennes tournaient-elles toutes autour de cette opposition entre les moyens, faibles, et les objectifs, démesurés. « On patauge », disait-il souvent.

« Pessimisme de l'intelligence, optimisme de la volonté », disait Antonio Gramsci, ce militant ouvrier et penseur politique italien mort dans les geôles de Mussolini. Cette réflexion, qui hantait littéralement Lévesque, revenait dans sa bouche comme un leitmotiv. Il l'avait maintes fois analysée, déclinée sous plusieurs registres, dont celui-ci qui lui semblait le mieux adapté : « optimisme dans la mise en œuvre des moyens, mais pessimisme dans le résultat final ».

« Point n'est besoin d'espérer pour entreprendre, ni de réussir pour persévérer. » Cette maxime, il se l'était appropriée telle quelle. Mais entre nous, le débat sur son origine fit rage à plusieurs reprises. Lévesque préférait l'attribuer à Charles le Téméraire plutôt qu'à Guillaume d'Orange. En raison de l'antériorité du premier sur le second, et surtout parce qu'un duc de Bourgogne l'inspirait davantage qu'un monarque anglais. D'autres considéraient, non sans justifications historiques, que si Charles avait, certes, émis ce propos, c'était vraiment Guillaume qui l'avait élevé au rang de maxime universelle. Lévesque ne s'estimait pas battu pour si peu, et il rouvrit une autre fois ce débat « en recherche de paternité », jurant ses grands dieux que le père, battant Charles le Téméraire de plusieurs siècles, était Pline l'Ancien. Coup de théâtre qui laissa ses détracteurs sans voix. Le bluff fit long feu, comme le révéla une minutieuse vérification soumise au cours de la rencontre suivante. Comme on le voit, ces soirées faisaient oublier le train-train quotidien.

René Lévesque aimait aussi répéter cet aphorisme bien négligé dans la classe politique, surtout après un certain temps de l'exercice du pouvoir : « On ne peut prétendre aimer le peuple sans rien aimer de ce qu'il aime. » Ou celui-ci : « Dans l'exercice de la charge de l'État, il ne faut dire que la vérité, mais on ne peut pas toujours dire toute la vérité. »

Les cartes, le poker en particulier, tenaient une place de choix dans chacune des soirées. Lévesque n'était pas un très bon joueur. Il jouait intensément, mais il bluffait trop. Vu le montant des mises, il ne se ruinait pas, les pertes les plus dramatiques ne dépassant guère les vingt-cinq dollars. Ces parties de cartes constituaient pour Lévesque l'ultime détente, en proportion de leur durée, c'est dire qu'elles entamaient la nuit assez loin.

De ces agapes, bien arrosées mais jamais avec excès, contrairement à ce que l'on pourrait penser, se dégageaient d'exceptionnels moments de bonheur que rien dans nos vies ne devait par la suite égaler. Mais certains épisodes demeurent gravés dans nos mémoires d'une façon plus vive encore. Parmi ceux-là, la découverte, au cours d'un souper chez Claude et Mary Morin, de la chanson *Le Tour de l'île* de Félix Leclerc. Le chanteur-compositeur avait remis à Claude, son beau-frère, une prise de l'enregistrement pour qu'il le fasse entendre à Lévesque. Le disque tourne une fois, deux fois. La troisième fois, Lévesque s'exclame : « C'est sans doute sa meilleure chanson, un chef-d'œuvre ! » Et Dieu sait qu'il était avare d'enthousiasme en matière de chanson : parmi les seules, ou à peu près, qui trouvaient grâce à ses oreilles, on comptait *Lili Marleen*, bien sûr, et *Pauvre Rutebeuf* chantée par Claude Dubois, dont il citera les premiers vers devant les militants et les amis le fêtant à son départ de la vie politique :

Que sont mes amis devenus
Que j'avais de si près tenus
Et tant aimés ?

René Lévesque au barrage de Carillon sur la rivière des Outaouais, le 7 juillet 1962.
Photo : Archives *La Presse*

Le congrès libéral ayant rejeté son option, la souveraineté-association,
René Lévesque quitte les lieux et le parti pour fonder le Mouvement souveraineté-association,
qui deviendra plus tard le Parti québécois. 1967.
Photo : Archives *La Presse*

Avec Daniel Johnson. 1963.
Photo : Archives *La Presse*

Le premier ministre René Lévesque écoute la réponse du premier ministre Brian Mulroney aux journalistes, après une réunion entre les deux hommes à l'Assemblée nationale. 1984.
Photo : Jacques Boissinot, Archives *La Presse*

Pierre Elliott Trudeau, premier ministre du Canada, et René Lévesque, premier ministre du Québec, lors de la conférence sur la Constitution. 1980.
Photo : Drew Gragg, Archives *La Presse*

Avec Fidel Castro. À l'arrière-plan, l'avocat Raymond Daoust. 1959.
Photo : Paul-Henri Talbot, Archives *La Presse*

Avec le pape Jean-Paul II durant une audience au Vatican en décembre 1983.
Photo : Archives *La Presse*

Avec Michel Chartrand. 1963.
Photo : Yves Beauchamp, *La Presse*

Avec Pierre Bourgault. 1972.
Photo : Jean Goupil, *La Presse*

À la suite des élections de 1970, le Parti québécois est reconnu comme la principale force d'opposition au Québec. Le PQ n'a réussi à faire élire que sept députés, ce qui le place derrière l'Union nationale et les créditistes. Mais en pourcentage des voix, il se situe au deuxième rang, derrière le Parti libéral conduit par Robert Bourassa. René Lévesque lui-même fut défait dans sa circonscription, mais il demeure le chef incontesté du PQ.

Considérant comme sérieuses les chances du PQ de prendre le pouvoir à l'occasion d'une prochaine élection, René Lévesque avait multiplié les contacts du côté du Canada anglais pour répondre à la lancinante question : « What does Quebec want ? » En 1972, il avait également entrepris des travaux d'approche du côté américain afin de « préparer psychologiquement ces gens aux changements ». Mais en plus, il estimait qu'il y avait un troisième point d'appui essentiel à l'avenir du Québec, autant sur le plan culturel que sur le plan technique : la France. Avec la Belgique et les pays francophones. Il s'est expliqué longuement sur le sujet dans *Le Journal de Montréal* dont il était un chroniqueur attitré[1].

1. René Lévesque, *Le Journal de Montréal*, 28 juillet 1972.

Cette volonté de rechercher en France de la compréhension et même des appuis au projet souverainiste n'était pas évidente. Les modèles de Lévesque, en littérature, en cinéma, en politique, étaient avant tout américains. Le père du *New Deal,* le président Franklin Delano Roosevelt, était son maître à penser politique. Combien de fois Lévesque ne nous a-t-il pas répété que s'il n'avait pas fait de politique, son rêve aurait été de devenir reporter au *Time Magazine*? En revanche, de la France, il n'avait surtout connu que les ruines des champs de bataille de Normandie, les pitoyables pantalonnades de la IVe République, les excès de sa politique coloniale : bien des Français gardaient un goût amer de ses reportages à *Point de mire* sur l'affaire algérienne dans les années cinquante. Le « Vive le Québec libre ! » du général de Gaulle l'avait mis mal à l'aise, non pas qu'il fût en désaccord sur le fond, mais parce qu'il lui semblait qu'une telle démarche ne devait pas précéder le choix des Québécois eux-mêmes.

C'est ainsi que la décision est prise d'effectuer une tournée européenne qui conduira René Lévesque en France, en Belgique, et aussi en Grande-Bretagne, afin de rendre visite, en particulier, aux autorités du Commonwealth qui siègent dans ce pays. On a vu comment j'ai été amené à prendre en charge la planification de cette tournée qui devait durer un peu plus de deux semaines (voir p. 33).

À vrai dire, cette planification ne fut pas une rude tâche.

D'abord, grâce aux multiples liens tissés par l'Association France-Québec, dont j'étais vice-président pendant mes années d'études à Paris.

Ensuite, parce que cette association comptait parmi son conseil d'administration des personnalités du monde de la politique (de droite comme de gauche), de la haute fonction publique, de la culture, des communications et même des affaires. Toutes se sont mobilisées avec un zèle et une efficacité qui traduisaient bien l'enthousiasme que le projet québécois provoquait en France.

Enfin, la venue de Lévesque suscitait une réelle curiosité mêlée d'admiration : « Quel culot, entendait-on dire, de vouloir créer un État indépendant à la barbe des Américains ! » Mon problème n'était pas de trouver des rendez-vous, mais de choisir quels interlocuteurs seraient les plus intéressants ou les plus utiles. Ces choix, je les faisais en concertation avec Bernard Landry, qui en discutait avec le principal intéressé. La Belgique aussi comptait un réseau de « québécophiles » militants qui rendit les contacts aisés. Quant à la Grande-Bretagne, où je me rendis aussi en voyage préparatoire, il n'était prévu qu'une rencontre au secrétariat du Commonwealth et une ou deux interviews avec la presse.

Que de péripéties avons-nous vécues durant ces quinze jours, Lévesque, Landry et moi, et Louise aussi qui participa à une partie de l'équipée qui nous mena, en plus de Paris, à Caen et dans sa région, à Lyon, à Grenoble, à Liège et à Bruxelles !

Un hôtel pas convenable

En accord avec Bernard Landry, j'avais choisi l'hôtel Lutétia, à l'époque le seul grand hôtel de la rive Gauche, c'est-à-dire au cœur de la vie culturelle et politique de la capitale. Un endroit bien commode avec ses salles adaptées aux conférences de presse. Sitôt installé, Lévesque nous annonce, à Landry et à moi, que l'hôtel ne convient pas. Trop chic. Trop cher. « Les membres du parti ne comprendraient pas que nous nous installions dans cet hôtel de luxe ; il faut trouver autre chose. Et puis, pourquoi m'avoir réservé une suite ? Une simple chambre fera très bien l'affaire. » Le Lutétia, ce n'est tout de même pas le Crillon ni le George V ; et puis, des conférences de presse et des invitations sont déjà associées à cette adresse, lui explique-t-on. Peine perdue, il faut trouver autre chose. Ce sera un petit hôtel situé tout près, moins pratique, mais mieux adapté à l'image du parti et de son chef, qui nous dit : « Les membres du parti se désâment à le financer à coup de cinq et de dix ; comment pouvons-nous humainement justifier de dépenser cet argent pour nous loger dans un palace ? »

À la délégation générale du Québec à Paris.
De gauche à droite : Monique Michaud, Corinne Côté-Lévesque, René Lévesque,
Yves Michaud, délégué général du Québec en France, et Pierre Mauroy, premier ministre de la France.
Juin 1983.
Collection particulière

Un ministre français promu grâce à René Lévesque ?

Le président de la Commission des finances, Jean Charbonnel, reçoit en grande pompe René Lévesque dans ses bureaux de l'Assemblée nationale. Devant un petit groupe de députés et d'invités, en face des caméras de la télévision, Charbonnel, peu porté sur la langue de bois, en conclusion d'un discours bien senti sur le Québec, laisse tomber : « Monsieur le Ministre [en France, ministre un jour, ministre toujours], votre indépendance, non seulement nous la souhaitons tous, mais nous la croyons inéluctable ! » La nouvelle ouvre le téléjournal du soir sur la Première Chaîne de télévision. Le lendemain, Pierre Elliott Trudeau, furieux, traite Charbonnel de « vague fonctionnaire français qui ne se mêle pas de ses affaires ». C'est sa façon à lui de qualifier les meilleurs amis du Québec. Quelques années plus tôt, un autre grand ami français du Québec, Philippe Rossillon, avait eu droit à une amabilité du même genre, se faisant accuser d'être « un agent plus ou moins secret ». À gauche comme à droite (Charbonnel était dirigeant de l'UDR[2] – parti gaulliste – mais proche de nombreux dirigeants de la gauche), c'est un tollé. Quinze jours plus tard, à l'occasion d'un remaniement, le « vague fonctionnaire » est nommé ministre du Développement industriel et scientifique.

---

2. Union des démocrates pour la République.

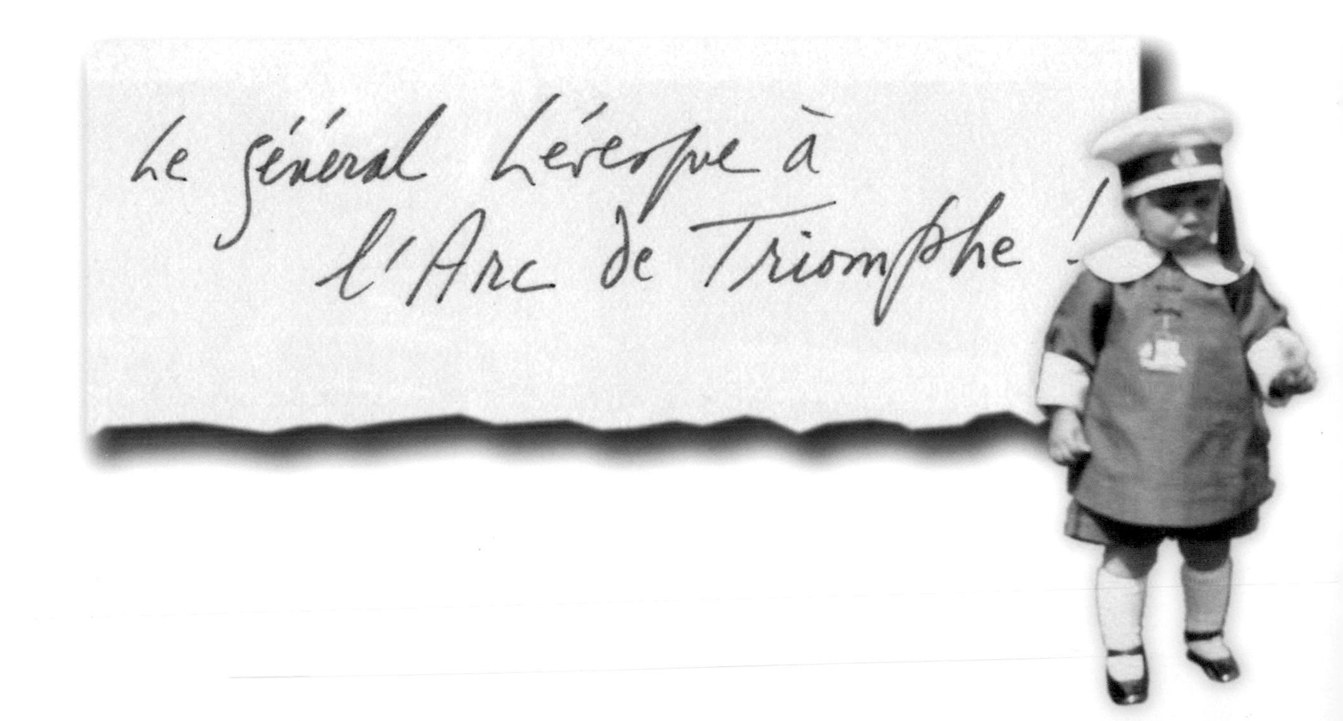
Le général Lévesque à
l'Arc de Triomphe !

La Résistance et le Québec

Chez Drouant, le restaurant où se réunit chaque année le jury du fameux prix Goncourt, nous avons rendez-vous avec le directeur des affaires politiques du ministère des Affaires étrangères. Jean-Daniel Jurgensen sait tout du Québec. Durant sa carrière, il a sillonné le Canada, le Québec et les États-Unis. Il est de ceux qui ont accompagné le général de Gaulle dans son fameux voyage au Québec en 1967. Il éprouve pour Lévesque, dont il a suivi méticuleusement la carrière, une admiration dont il ne cache rien. Avec son collègue Bernard Dorin, il est au cœur du réseau des spécialistes du Québec au Quai d'Orsay. Ce midi-là, il explique à Lévesque, avec la même minutie, la même conscience professionnelle que s'il s'adressait à son propre ministre, les dimensions et les enjeux diplomatiques du projet indépendantiste. Lévesque savait, bien sûr, que le Québec avait des alliés en France ; mais à ce point, non. Sa surprise, toute réservée, n'en est pas moins palpable, son émotion aussi. Mais il n'est pas au bout de son étonnement. À la fin du repas, Jurgensen ajoute, comme si c'était une chose anodine : « Vous savez, il y a deux choses dans ma vie dont je suis le plus fier : mon combat dans la Résistance pendant la guerre, et mon action pour le Québec. »

Philippe de Gaulle

Le lendemain, nous avons rendez-vous, dans un autre restaurant de la rive Droite de Paris, chez Les Voisin, avec l'amiral Philippe de Gaulle, le fils du général. La ressemblance physique avec le père saisit ; Lévesque, chose plutôt rare chez lui, en est même un moment déstabilisé. Mais c'est le récit que nous fait l'amiral qui étonne. Au collège, alors qu'il préparait le concours général, le jeune Philippe avait eu à effectuer un travail sur l'avenir du « peuple canadien-français ». Il s'en était ouvert à son père, qui, nous affirme-t-il, était passionné par le sujet et lui avait donné une foule de conseils et d'informations sur la façon de traiter la question. Déjà !

Youpi ! les pilotes sont en grève

La veille du départ pour Londres, patatras ! grève mondiale des pilotes. Impossible de s'y rendre, quand bien même nous aurions voulu prendre le train. Tout est engorgé, bloqué. On aurait pu croire Lévesque contrarié par ce contretemps. Erreur ! Il apprend la nouvelle avec joie, presque avec jubilation, comme un élève privé d'école pour cause de tempête de neige. Tout heureux de pouvoir musarder dans Paris pendant deux jours en pleine liberté. En fait, quelques minutes plus tard, il est déjà au téléphone avec ses interlocuteurs de Londres pour leur proposer d'aller les rencontrer ultérieurement. Il fera un saut à Londres après la tournée, empiétant sur les quelques jours de vacances qu'il s'était accordés dans le sud de la France avec Corinne (qui l'avait rejoint en fin de visite).

Un Père de l'Europe

Lorsque Lucien Outers, député bruxellois, chef de Rénovation wallonne, me proposa d'organiser une conférence de René Lévesque à Bruxelles en présence de Paul-Henri Spaak, je ne compris pas. Comment cet ancien ministre des Affaires étrangères de Belgique, ancien premier ministre, ce légendaire Père de l'Europe, ardent défenseur de la « supranationalité », c'est-à-dire de la fusion des nations dans le grand ensemble fédéral que devait devenir l'Europe, comment pouvait-il avoir quelque atome crochu avec le militant souverainiste Lévesque ? Après avoir tout connu des affaires du monde, de l'ONU, de l'OTAN, de l'Europe, m'explique Outers, Spaak a fait sienne la maxime de Jean Jaurès : « Un peu d'internationalisme éloigne de la nation, beaucoup y ramène. » Poignante rencontre au cours de laquelle Paul-Henri Spaak, en réponse à l'allocution de Lévesque, reconnaissait que le fédéralisme pouvait être néfaste au Québec. Pour « ce vieux jouteur… avec des airs de bouledogue churchillien[3] », autant la construction de l'Europe à partir des vieilles nations repues de souveraineté est la voie du salut pour ce continent,

3. René Lévesque, *Le journal de Montréal*, 27 juillet 1972.

De Gaulle fils
et Peyrefitte,
6 pieds et 2 chacun
avec Lévesque,
5 pieds et 5 !

autant la recherche de la souveraineté est une voie féconde pour qui en a été trop longtemps privé. Paul-Henri Spaak mourra trois semaines plus tard. Ce fut sa dernière prestation publique.

*
* *

Ce qui frappa le plus René Lévesque au cours de cette tournée, ce fut l'exceptionnelle sympathie à l'endroit de son projet ainsi que l'étonnante connaissance des Français (et des Belges) à l'égard du « cas » québécois. Mais ce fut surtout l'offre spontanée de nombre d'entre eux d'appuyer le Québec jusqu'à l'indépendance lorsque celui-ci le jugerait nécessaire. Déjà était annoncé le thème qui donnerait naissance au foisonnement de formules qu'imagineront plus tard les premiers ministres français Barre, Mauroy, Fabius et autres. Mieux, plusieurs interlocuteurs manifestaient leur étonnement de ce qu'un pays riche et avancé comme le Québec, doté de tant de ressources, ne soit pas encore indépendant.

Avec le recul du temps, Lévesque nous confia, à quelques reprises, que ce voyage lui avait ouvert des perspectives nouvelles sur les solidarités internationales, en plus de lui avoir fait connaître des hommes qui avaient de l'avenir et qu'il reverra souvent par la suite : Michel Rocard et François Mitterrand, respectivement futurs premier ministre et président de la France, et Jacques Delors, qui deviendra président de la Commission européenne. René Lévesque eut d'ailleurs la gentillesse (exagérée) de dédicacer ainsi l'exemplaire de ses mémoires qu'il nous offrit (*Attendez que je me rappelle...*[4]) : « À François, sans lequel on n'aurait jamais percé dans le vieux pays ; à Louise, qui grâce à tout ça a pu trôner par la suite. »

Ce voyage fut donc pour René Lévesque une véritable découverte qui changea sa façon de voir la France au point de constater, comme de Gaulle – nous sommes en 1972 –, que « le Québec est bel et bien " le prolongement humain " de la France[5] ».

*
* *

En 1977, René Lévesque entreprend son premier voyage officiel en Europe, après, comme en 1972, une visite aux États-Unis et une tournée au Canada.

Depuis longtemps, les voyages officiels en France des premiers ministres québécois ne suscitent plus beaucoup d'intérêt ; ils se sont banalisés à mesure que leur nombre augmentait et que le temps passait (sauf celui de Jacques Parizeau à quelques mois du référendum de 1995).

---

4. Québec Amérique, 1986.

5. René Lévesque, *Le journal de Montréal*, 1er août 1972.

En 1977, cependant, c'était tout nouveau, tout beau ; c'était en fait un moment historique : pour la première fois, un premier ministre souverainiste débarquait en France pour expliquer aux autorités françaises le sens du référendum que le gouvernement du PQ tiendrait dans son premier mandat.

Les fédéraux, malgré le zèle indéfectible de Gérard Pelletier, alors ambassadeur du Canada à Paris, n'avaient pu s'opposer à ce que Lévesque soit décoré de la Légion d'honneur. Mais ils avaient réussi à empêcher qu'il s'adresse aux députés français dans l'enceinte même de l'Assemblée nationale. Son président, Edgar Faure, avait proposé que le discours ait lieu à l'hôtel de Lassay, sa résidence officielle, adjacente à l'Assemblée nationale. D'ailleurs, lorsque la France a élevé Louise au rang de commandeur de la Légion d'honneur en septembre 2004, c'est en souvenir de ce grand moment qu'elle a suggéré que la décoration lui soit remise au même endroit, des mains du successeur d'Edgar Faure, Jean-Louis Debré.

La veille de l'importante intervention de René Lévesque, nous sommes à Metz et, dans l'urgence, il faut en préparer la version définitive. Lévesque insiste : il veut ouvrir son discours sur la première loi adoptée par l'Assemblée nationale du Québec à la suite de l'élection de 1976, celle portant sur le financement des partis politiques. Tous ceux qui assistent à cette réunion – Claude Morin, ministre des

Edgar Faure ("Appelez-moi Edgar !)
nous accueillant à
l'Assemblée Nationale

Affaires intergouvernementales, Yves Michaud, conseiller diplomatique, Évelyne Dumas, du cabinet du premier ministre, quelques autres et Louise – le mettent fermement en garde : voilà un sujet à ne pas aborder de front en France, où chacun sait comment se financent tous les partis politiques, c'est-à-dire de manière plus ou moins occulte. Un tel discours serait unanimement mal reçu et Lévesque apparaîtrait comme voulant donner des leçons de démocratie à la France. Mieux vaut se concentrer sur l'adoption en août 1977 de la Charte de la langue française : succès et applaudissements garantis. Cette discussion échevelée va dans tous les sens, mais dans la bonne humeur malgré la pression ; il est tard, il faut en finir. Claude Morin s'inquiète, s'arrache les quelques cheveux qui lui restent. On commence à se demander si le discours sera terminé à temps pour être prononcé le lendemain… Typique de la manière Lévesque : il n'est jamais aussi concentré et aussi performant qu'à la dernière minute. Sur le fond, Lévesque tient bon envers et contre tous, n'en fait qu'à sa tête et, comme d'habitude, revoit seul son discours *in fine* pour le mettre à sa main.

Le lendemain, nous l'entendons donc d'entrée de jeu faire l'éloge de cette loi québécoise sur le financement des partis politiques… dans un silence poli, suivi d'applaudissements enthousiastes lorsqu'il met

Lévesque écoutant les placoteux à l'Assemblée Nationale — (Claude Morin, surveillant)

l'accent sur la loi 101 et la résistance du valeureux village gaulois face aux légions anglophones !

Belle leçon de courage et de détermination politiques. Belle leçon d'humilité pour les conseillers. Du reste, si les Français s'étaient inspirés dès cette époque de cette loi (ils ont mis plusieurs années pour y arriver), ils se seraient épargné beaucoup de déboires !

C'est au cours de ce même voyage que Jacques Chirac, maire de Paris, accueillit pour la première fois René Lévesque. Il se prononça sans détour, dans l'immense salle bondée de l'hôtel de ville, pour la souveraineté du Québec en souhaitant la victoire du PQ au référendum annoncé. Il en mit beaucoup, à tel point que nous – Lévesque en tête – en étions tout étonnés.

Il modulera par la suite ses propos à quelques reprises, mais sans jamais les renier…

Jacques Chirac, alors maire de Paris, souhaitant la bienvenue à René Lévesque à l'hôtel de ville de Paris. 1977.

En cet après-midi maussade de juin 1972, René Lévesque, Bernard Landry et moi venons de quitter Michel Rocard, alors « chef » du Parti socialiste unifié (PSU, à ne pas confondre avec le Parti socialiste, PS), dont l'habituelle éloquence a fait durer la rencontre au-delà de ce qui avait été prévu. Louise nous rejoindra plus tard, pour notre visite en Normandie.

Nous nous engouffrons dans un taxi pour un rendez-vous à l'autre bout de Paris, direction Pigalle. Nous n'allons pas voir les « p'tites femmes de Pigalle » comme le chante Serge Lama, mais rencontrer le premier secrétaire du Parti socialiste, François Mitterrand, dont le bureau, cité Malesherbes, est au cœur du quartier « chaud » de Paris. Le chauffeur, déjà ralenti par la pluie qui englue la circulation, hésite un peu dans le choix de l'itinéraire, plus habitué à conduire dans ce quartier des touristes en goguette à quelque cabaret de danseuses légères que deux futurs premiers ministres du Québec chez le futur président de la République française ! Nous déboulons donc au pas de course et fort en retard dans le bureau de François Mitterrand.

René Lévesque est d'excellente humeur. Un retard à un rendez-vous n'a pas de quoi le désorienter, et son dialogue avec un Michel Rocard (encore un futur premier ministre !) à l'intelligence toujours aussi pénétrante l'a rendu presque euphorique. Après les salutations d'usage, plutôt froides, et quelques photos (que nous ne verrons jamais), la conversation s'oriente sur les élections qui s'en viennent. En France comme au Québec, l'année 1973 sera marquée par des consultations visant à renouveler l'Assemblée nationale. Chacun parle avec ardeur des élections dans son propre pays. Ah, le hic : Lévesque parle des élections au Québec et croit que Mitterrand fait de même. Et les rôles s'inversent. Le malentendu est complet. Il se prolonge, semble s'éterniser. Dialogue de sourds. Bernard Landry et moi, nous nous regardons, interloqués : comment dénouer ce quiproquo ? Un changement inopiné de sujet met fin à l'absurde imbroglio, mais les deux interlocuteurs, qui ne se sont rendu compte de rien, ne sont décidément pas sur la même longueur d'onde.

En quittant la cité Malesherbes, la belle humeur s'est dissipée. René Lévesque a trouvé son interlocuteur inattentif, distrait, sinon glacial.

Quelques jours plus tard, nous nous rendons en Normandie, à Caen, invités par le maire de la ville, grâce à l'efficace réseau de l'Association France-Québec. Lévesque revoit avec ébahissement cette ville admirablement reconstruite qui n'était qu'un champ de ruines lorsqu'il l'avait visitée au cours de l'été 1944, quelques semaines après le débarquement des Alliés sur les plages de Normandie. Réception à l'abbaye aux Hommes transformée depuis la Révolution en hôtel de ville. Devant la tombe de Guillaume le Conquérant, parti de Normandie pour s'emparer de l'Angleterre, Lévesque déclare, mi-figue, mi-raisin : « Pour ce qu'il a fait, il aurait mieux fait de rester chez lui. »

Le lendemain après-midi, Louis Mexandeau, militant socialiste, futur député et ministre, nous a invités à participer dans la petite ville de Mézidon, qui deviendra son fief électoral, à la fête de la Rose, fleur emblématique du Parti socialiste, par opposition au rouge communiste. Partout en France, le PS organise de telles activités, réunions populaires et festives, à la fois citoyennes et partisanes, au cours desquelles les militants banquettent, discutent, puis écoutent des discours politiques. À Mézidon, sous un soleil de plomb, après avoir bien mangé et bien bu, cidre (on est dans le Calvados), bière ou vin, tout le monde attend. Et attend encore. Le point d'orgue de la fête ce jour-là, c'est le discours du premier secrétaire, François Mitterrand. René Lévesque y va, entre nous, de quelques piques sur la ponctualité malmenée, ce qui de sa part ne manque pas de sel. Il répond aussi aux questions de Mikis Theodorakis (compositeur de la musique de *Zorba le Grec*), qui donnera un concert ce soir-là. Theodorakis, en exil en France après avoir fui la dictature des colonels, veut savoir de Lévesque si ses compatriotes de Montréal penchent ou non du

côté de la dictature. Enfin, Mitterrand débarque, échange avec Lévesque quelques mots de circonstance en l'invitant à monter à la tribune, s'excuse du retard pris par son avion en raison du mauvais temps, ce qui fait sourciller plus d'un, vu le soleil radieux. Autour de lui, des dignitaires locaux ; il présente « mon ami, René Levesque » à la foule, en oubliant l'accent aigu sur son patronyme. Puis il commence à saluer chacun des candidats de la région qui représentera le PS aux prochaines élections législatives. Et bang ! Après avoir nommé Louis Mexandeau, il s'embrouille, balbutie, sèche avant de se décider à passer la parole à ce dernier.

À la fin de cette journée, pour René Lévesque, la cause est entendue : « Comment prétendre pouvoir accéder aux plus hautes fonctions politiques quand on n'est même pas capable de présenter ses candidats à une assemblée ! »

Jugement définitif, mais que l'avenir démentira. Et deux fois plutôt qu'une...

Nous sommes en octobre 1976, à l'Ancienne-Lorette, près de Québec. Lévesque, entouré des candidats de la région, préside une assemblée électorale. Il présente à l'assistance les candidats du Parti québécois. Eh oui ! Comme Mitterrand à Mézidon... il faut lui souffler quelques noms. Après la réunion, à la blague, je lui fais part du parallèle. Il éclate d'un énorme rire en ajoutant : « En fin de compte, en y réfléchissant bien, Mitterrand et moi, on a peut-être des points communs ! »

L'opinion de Lévesque sur Mitterrand ne variera guère au cours des ans. À l'occasion des quelques rencontres qu'ils auront, leurs échanges ne seront jamais empreints de beaucoup de chaleur.

Louise s'est même fait raconter par un diplomate français, Bernard Dorin, un incident cocasse qui s'est passé au cours d'une réunion à l'ambassade de France à Ottawa tenue en marge du sommet du G8 de Montebello en 1981. Lévesque est assis à côté de Mitterrand. Entre ses doigts, comme de raison, son éternelle cigarette. Mitterrand engoncé dans son siège, avare de mouvements, Lévesque loquace, parlant autant avec ses mains qu'avec sa bouche. Ce qui devait arriver arriva : il laisse tomber sa cendre dans la soucoupe à café du président, qui le fusille du regard ; tout à son propos, Lévesque ne se rend compte de rien.

*
* *

J'ai une opinion bien différente de celle de Lévesque sur François Mitterrand, pour l'excellente raison que je lui dois ma nomination comme déléguée générale du Québec à Paris en 1983. Cette année-là, avant de quitter son poste qu'il occupe depuis quatre ans, Yves Michaud fait, comme on dit, sa tournée d'adieu. En particulier, il se rend saluer le président Mitterrand.

Il est d'usage, en cette circonstance, de sonder l'opinion du chef de l'État sur la succession à ce poste. Je suis déjà sur la liste des candidats, mais Lévesque éprouve certaines réserves à me nommer ; il croit que la vieille France ne verrait pas du meilleur œil une femme, jeune de surcroît, occuper cette fonction. Michaud énumère donc la liste devant le président, qui reste plutôt froid ; puis il cite mon nom. Cette fois, Mitterrand s'anime : « Très intéressante candidature. Dites à M. Lévesque que s'il nomme Louise Beaudoin, la porte de mon bureau lui sera toujours ouverte. » J'avais rencontré Mitterrand une première fois, très brièvement, à Mézidon. Dans les années qui ont suivi, j'avais eu l'occasion de le rencontrer fréquemment, en particulier à l'occasion d'activités de l'Internationale socialiste, organisation qui réunit un très large éventail de partis politiques socialistes ou sociaux-démocrates ; j'avais convaincu le PQ d'y adhérer en tant qu'observateur. Après que Michaud eut transmis à Québec le *verbatim* de son entretien avec le président, Lévesque me téléphone pour me relater ce qui précède et pour m'annoncer que le ministre des Affaires internationales, Jacques-Yvan Morin, présentera ma candidature au prochain conseil des ministres. Il me recommande de m'assurer entre-temps de l'appui des ministres que je connais bien. À l'issue de ce conseil, le premier ministre me rejoint pour me dire : « Ça y est, tu l'as ta nomination

François Mitterrand et la cigarette cachée !
Collection particulière

à Paris. Et quand tu verras Mitterrand, tu pourras le remercier ! »

Si, sur le plan politique, Mitterrand n'a jamais été « en flèche » sur la question québécoise, notre culture le passionnait. Un jour, il me reçoit officiellement à l'Élysée. Sur le coin de son bureau, le roman d'Anne Hébert, *Les Fous de Bassan,* qui vient tout juste de sortir. Il me fait l'éloge détaillé, à la manière d'un critique littéraire, de ce récit « de fureur et de vent » et de l'ensemble de l'œuvre d'Anne Hébert qu'il a lue d'un bout à l'autre. Il se faisait aussi organiser à l'Élysée des projections de films québécois ou des concerts privés pour écouter, par exemple, les interprètes de *Starmania,* ou Édith Butler dont les chansons lui rappelaient sa Charente natale.

Un chant retentit :

Vivat, vivat semper in æternum
Qu'il vive à jamais
Répétons sans cesse, qu'il vive à jamais
En santé, en paix, ce sont nos souhaits.

Debout, gravement, presque religieusement, l'assemblée entonne ce chant mi-latin, mi-français. Quatre hommes tiennent une sorte de dais au-dessus du convive, une grande serviette de table. L'un d'entre eux y verse une coupe de champagne – la Champagne n'est pas loin –, qui bientôt ruisselle sur un crâne dégarni. Le chant devient un cri assourdissant : « Qu'il vive ! Qu'il vive ! »

Voyant mon étonnement (j'accompagne Louise), mon voisin de table me glisse à l'oreille : « C'est le *Vivat flamand,* une très ancienne coutume de la Flandre française dont on ne connaît pas trop l'origine. Vous avez raison d'être étonné. On réserve le plus souvent le *Vivat* aux membres de la proche famille qu'on veut honorer d'une façon exceptionnelle, dans un mariage, par exemple. »

Nous ne sommes cependant pas à un banquet de noces. L'homme qui verse le champagne est le premier ministre de la France, Pierre Mauroy, et l'hôte honoré d'une si rare façon est le premier ministre du Québec,

René Lévesque, reçu à dîner dans la somptueuse salle des fêtes de l'hôtel de ville de Lille, dans le Nord de la France, dont Pierre Mauroy est maire. « Un Mauroy solide comme le roc », écrira plus tard René Lévesque dans ses mémoires. Entre les deux hommes, de toute évidence, le courant passe, et fort ! Bras dessus, bras dessous, ils ont sillonné la ville toute la journée, inauguré ensemble le Grand Palais, regroupant des salles de congrès et de spectacles, où ils ont assisté à un concert donné par l'Orchestre national de Lille ; enthousiasmé par la direction du chef Jean-Claude Casadesus, René Lévesque l'invite à Montréal avec son orchestre. Pierre Mauroy avait choisi la date de cette inauguration en fonction de la venue de son homologue québécois, en visite officielle en France en juin 1983.

Le premier ministre Raymond Barre, au cours de son voyage au Québec en 1979, décide, de concert avec René Lévesque, d'officialiser des visites annuelles alternées : une année, c'est le premier ministre de la France qui vient au Québec, l'année suivante, c'est l'inverse. Sauf durant les années 1988 à 1995, ce calendrier fut régulièrement respecté. Côté français, cette pratique est rare ; elle n'a cours qu'avec très peu de pays, à la fois importants et très proches, l'Allemagne, par exemple. Côté québécois, elle est évidemment unique.

C'est ainsi que Lévesque fait la connaissance de Mauroy lorsqu'il le reçoit en 1982. Les membres de l'Association Québec-France l'accueillent au Saguenay. Ils lui font une réception chaleureuse et émouvante. Issu d'un milieu modeste de ce Nord de la France autant méconnu que convivial, il avait alors confié qu'il se sentait très proche des Saguenéens, lui dont le grand-père avait été travailleur forestier. À son départ pour la France, un groupe de ministres était allé le saluer à l'aéroport de Québec en entonnant, René Lévesque en tête : « Mon cher Pierre, c'est à ton tour… » Pierre Mauroy s'était alors exclamé : « C'est pas un conseil des ministres que vous formez, mais une chorale ! »

En 1984, René Lévesque était de retour en France pour présider à Saint-Malo les festivités marquant le 450e anniversaire de la première traversée de Jacques Cartier. Dans la « ville corsaire », bâtie sur un splendide promontoire face à l'océan qu'il aimait tant, il avait inauguré la place du Québec. À son retour à Paris, Pierre Mauroy l'invite, avec son entourage, à un dîner amical hors protocole à l'hôtel Matignon, résidence des premiers ministres de la France.

Chaleur de l'amitié, ambiance décontractée, tout le monde est détendu. Soudain, la conversation bifurque, et l'on aborde le fait que le président François Mitterrand ne soit pas encore allé en visite officielle au Québec alors qu'il revient tout juste d'une visite au Liban. S'engage alors un dialogue stupéfiant :

René Lévesque : Je suis étonné de l'attitude du président.

Pierre Mauroy, surpris : Nous venons de perdre là-bas plus de cinquante soldats dans un attentat !

R.L. : C'est moins que le nombre de Français qui se tuent en une fin de semaine sur les routes. Le président aurait mieux fait d'aller au Québec.

P.M. : Mais les Libanais sont nos amis, depuis tout le temps, nous les recevons ici comme vous. La France a un devoir envers eux.

R.L. : Ouais ! La France est toujours fourrée partout, avec les résultats qu'on connaît.

Notre hôte, interloqué, tente de calmer le jeu, change de sujet, et pour se montrer aimable fait remarquer que, en fin de compte, le Québec est la patrie de tous les Québécois, même de ceux qui s'acharnent à se dire exclusivement canadiens. À preuve, ajoute-t-il, c'est à Montréal que Pierre Elliot Trudeau a décidé de s'installer après quelque vingt ans passés à Ottawa. Mal lui en prit, au simple énoncé du nom de Trudeau, son vieux rival s'emporte : « Oui, c'est ça, Trudeau c'est tout ce qui a compté pour vous, nous on a toujours passé au dernier rang ! » Corinne, sortant de son silence habituel, en rajoute : « C'est vrai, d'ailleurs les Français ne nous aiment pas, ils ne nous ont jamais aimés ! »

L'Association Québec-France reçoit le premier ministre de la France, Pierre Mauroy.
De gauche à droite : Roger Barette, président de l'Association, Pierre Mauroy, René Lévesque et Marcel Beauchemin, directeur général de l'Association. Avril 1982.

Pierre Mauroy s'empourpre, se lève. Et annonce que ce sympathique repas est terminé. Au moment même où les serveurs apportaient le dessert, une bombe glacée brésilienne qui finira par s'abandonner lamentablement sur le buffet.

Le lendemain, Louise, alors déléguée générale du Québec en France, discute de cette soirée avec le conseiller diplomatique du premier ministre. Il prend la chose avec humour plutôt qu'avec humeur !

Était-ce une gaffe ? Pas sûr ! De la provocation ? Sans doute. Un côté iconoclaste ? Certainement. En fait, un peu de tout cela. Une manière de condensé des immenses défauts de René Lévesque à la mesure de ses immenses qualités.

Il se retrouvait là dans la continuité directe de ce *Point de mire* célèbre des années cinquante où il avait administré une volée de bois vert à la France et à sa politique algérienne. Heureusement, la rectitude politique n'avait pas encore été inventée. Mais plus encore, s'il pouvait se permettre ce genre d'impertinence, c'est qu'il se savait entre amis, et Dieu sait qu'avec ses amis, surtout les plus proches, il ne mettait pas souvent de gants. Il savait leur parler vrai, loin de la langue de bois, « dans la face ».

Du reste, l'année suivante, en mai 1985, René Lévesque, répondant à l'invitation du premier ministre Laurent Fabius, retourne en France. Une fois de plus, il est accueilli avec toute la ferveur que les Français savent manifester à leurs invités québécois. Le consul général de France à Québec, Renaud Vignal, un allié indéfectible, très au fait de tout ce qui se passait au Québec, savait que ce serait le dernier voyage officiel de René Lévesque : il avait redoublé d'ardeur. Laurent Fabius emmène Lévesque dans sa circonscription du Grand-Quevilly, en Normandie, près de Rouen, pour un vrai déjeuner politique avec des militants socialistes qui se révèlent tout à fait québécophiles. En effet, avant Fabius, Le Grand-Quevilly avait eu comme député Tony Larue. Cofondateur de l'Association Québec-France, Tony Larue était un passionné du Québec. Il avait multiplié jumelages de villes, échanges de jeunes, voyages de groupes entre sa Normandie et ce qui était devenu sa seconde patrie. Lévesque y prononce un discours en grande partie improvisé, tout en finesse, en humour, superbement proche de son auditoire dont il a pu mesurer précédemment l'étonnante connaissance du Québec. Brillant ! Du grand Lévesque ! Laurent Fabius, pourtant réservé de nature, est épaté. Sur la route du retour vers la capitale, il invite René Lévesque et les personnes qui l'accompagnent à venir prendre un verre chez lui, près de Versailles.

*
* *

Trois ans plus tard, Pierre Mauroy traversera l'Atlantique en compagnie de Jacques Chaban-Delmas, président de l'Assemblée nationale et ancien premier ministre lui aussi, pour assister aux obsèques de René Lévesque. Il fallait voir Pierre Mauroy, ému aux larmes de la perte de son ami René dont il ne cessait de répéter à quel point il l'avait aimé.

C'est bien connu, René Lévesque détestait tout ce qui le contraignait en matière de tenue vestimentaire. Sur une photo le représentant affublé d'une queue-de-pie et d'un haut-de-forme au mariage de son frère André en 1954, il est sérieux comme un pape, sa façon à lui de se moquer de cet « habit de singe ». Plus tard, il fera abolir le port du smoking, ce « déguisement », dans les réceptions officielles offertes par le gouvernement du Québec. Mais il se fera un point d'honneur de porter ses savates genre Hush Puppies, même avec un habit bleu sombre.

Il détestait aussi les chemises à manches longues. Un jour, Cécile, qui, rue d'Auteuil, lui faisait office de cameriste, vint nous montrer, déconcertée, son exploit vestimentaire. Il venait de transformer toutes ses chemises habillées en chemisettes d'été. Quel travail ! Il avait vraisemblablement pratiqué son art de couturier avec des ciseaux à ongles ou un couteau de cuisine : les manches, ou ce qu'il en restait, étaient réduites à des bouts de guenilles effilochées, informes. Que de labeur pour la pauvre Cécile s'échinant à redonner un peu d'allure à ce carnage ! Ce refus obstiné de déroger à la règle d'élégance qui exige que la manchette dépasse du veston eut des conséquences politiques insoupçonnées. La mère de François jugeait qu'un homme aussi peu respectueux de l'étiquette ne méritait pas son vote : elle ne vota jamais pour le PQ ! Cela dit, il n'était pas aussi mal attifé qu'on le dit, et avec le temps sa garde-robe devint tout à fait convenable.

Mais ce qui le rebutait le plus, c'était de se voir imposer quelque contrainte que ce soit après ses « heures de travail » (si tant est que cette expression ait un sens pour un premier ministre...).

Au printemps 1985, alors que j'étais déléguée générale du Québec à Paris, Lévesque est reçu officiellement en France. Il était décidé qu'il logerait à ce que l'on appelle la résidence de la délégation. Après avoir accueilli René et Corinne à l'aéroport, je les conduis directement à la résidence. Ils s'installent, et Lévesque, avant de terminer sa trop courte nuit d'avion, apparaît vêtu d'un magnifique kimono chamarré de broderies qu'il avait rapporté de son voyage au Japon l'année précédente.

Sans plus attendre, je lui souligne une fois de plus l'importance de cette visite, sa dernière en tant que premier ministre du Québec, et au cours de laquelle d'importants accords de coopération économique et culturelle seront signés. C'est pourquoi je lui annonce les règles qui seront en vigueur à la résidence les

René Lévesque portant haut-de-forme et queue-de-pie au mariage de son frère André. 1954.
Collection particulière

jours qui vont suivre : « Ici, on fume le moins possible, on ne boit pas, on fait comme moi : on se couche de bonne heure… »

Lévesque me regarde sans rien dire, un peu interloqué. Il retourne à sa chambre et revient quinze minutes plus tard, ses valises à la main. « On déménage, on rejoint le reste de la délégation québécoise à l'hôtel Meurice, j'ai tout arrangé ! » Tout arrangé ! Vite dit. Pour le Service de protection des personnalités étrangères chargé de la sécurité, c'est l'affolement. Dans ce genre de voyage officiel d'un chef d'État, car en France les premiers ministres du Québec jouissent depuis 1960 de ce statut, les rencontres à l'intérieur comme à l'extérieur de Paris sont programmées avec la plus grande précision : itinéraires, déplacements escortés de motards virtuoses de la conduite périlleuse à haute vitesse dans la circulation démentielle de la capitale française, minutage des trajets quasiment à la seconde près. Tout doit être recalculé en catastrophe. Heureusement, l'hôtel Meurice est idéalement situé rue de Rivoli, tout près de l'Élysée, siège de la présidence de la République, de Matignon, où officie le premier ministre, et de la plupart des ministères où Lévesque sera reçu. En comparaison, la résidence de la délégation est située à l'autre bout de Paris, avenue Foch, derrière l'arc de Triomphe.

Martine Tremblay, qui était à l'époque sa directrice de cabinet, citera ce commentaire de son patron : « Si la bonne sœur pense que je vais aller dans son monastère, elle se trompe royalement[1] ! »

Malgré tout, ce voyage fut un franc succès et Lévesque s'est révélé une fois de plus en France un grand chef d'État.

---

1. Martine Tremblay, *Derrière les portes closes*, Montréal, Québec Amérique, 2006, p. 442.

Le 20 mai 1980, au soir du premier référendum sur la souveraineté du Québec, alors que j'étais directrice du cabinet du ministre des Affaires internationales, je commentais depuis Montréal les résultats en direct à la télévision de Radio-Canada en compagnie notamment du sénateur Jean Marchand. Vieux compagnon de route de René Lévesque, il avait décidé en 1960, après une longue hésitation, tout comme Gérard Pelletier et Pierre Elliott Trudeau, de ne pas rallier les troupes du Parti libéral du Québec. Rude décision pour Lévesque qui se retrouvait seul, sans ses amis, dans l'équipe de Jean Lesage.

Devant les téléspectateurs, j'explique péniblement que les Québécois viennent de donner une dernière chance au fédéralisme renouvelé… J'étais dévastée. Comme tant et tant de mes compatriotes.

Les Québécois avaient réussi, dans les années soixante, leur Révolution tranquille, cette vaste mutation qui avait transformé leur gouvernement de conseil municipal corrompu et arriéré en État national. Ce vaste mouvement, qui avait permis aux francophones, pour la première fois de leur histoire, de prendre leur place dans l'économie et d'assurer ainsi leur propre développement, et qui, surtout, les avait métamorphosés, les avait « décolonisés ». Ils avaient confiance en eux et par conséquent le goût d'entreprendre dans tous les domaines. Les Québécois formaient, dorénavant, une nation plurielle, majoritairement francophone, consciente d'elle-même, de sa singularité, de son originalité.

Ensuite, en 1976, avec la prise du pouvoir par le Parti québécois, il y avait eu l'équipe, les hommes et les femmes qui venaient d'être élus : Jacques Parizeau, Lise Payette, Bernard Landry, Camille Laurin, et les autres. Une vraie nouvelle « équipe du tonnerre » qui donnerait à l'action politique, j'en étais certaine, un nouveau souffle et aux Québécois un nouvel espoir collectif.

Surtout, il y avait René Lévesque, chef charismatique incontesté, premier ministre au « parler vrai », à la grande liberté de ton, réfractaire à toute rectitude politique, souvent provocant et même provocateur. C'était une époque – qui me semble aujourd'hui si lointaine – où la politique n'était pas encore que spectacle. René Lévesque dont, personnellement, je ne me suis jamais lassée d'entendre la voix, d'écouter les propos. René Lévesque, devenu avec les ans le Québécois le plus populaire de tous les temps.

En sortant du studio, Jean Marchand, qui tente de me consoler – « On en gagne, on en perd » –, me demande où je vais. Je lui réponds : « Rejoindre René Lévesque et les autres au Comité national du Oui

Jean Marchand et René Lévesque lors de la commémoration de la grève de l'Association des réalisateurs de Radio-Canada. 1983.
Photo : René Picard, *La Presse*

situé rue Saint-Denis. » Il propose de me raccompagner jusque-là en taxi. En arrivant devant l'immeuble en question, il insiste pour venir saluer son ami René... Je lui explique gentiment que ce n'est peut-être pas une bonne idée, que les militants présents n'apprécieraient probablement pas – c'est le moins que l'on puisse dire – sa présence. Il en convient et me demande plus simplement de dire bonjour de sa part à René Lévesque.

À l'intérieur du Comité, l'atmosphère est aux larmes, comme on peut l'imaginer. Perdre, on s'y attendait. Lévesque lui-même doutait fortement de la victoire. Ce qui ne l'avait pas empêché de mener une campagne magnifique. Jamais ne s'est-il autant répété la maxime : « Point n'est besoin d'espérer pour entreprendre, ni de réussir pour persévérer. » Mais à 40 % de « oui », la défaite était cruelle. D'autant que pour plusieurs d'entre nous la victoire inattendue de 1976 avait pavé la voie vers la souveraineté à un horizon de cinq ans. Rien ne semblait pouvoir nous arrêter. René Lévesque était un des seuls à savoir que ce serait pratiquement impossible et à essayer de tempérer notre enthousiasme de jeunes militants.

Croisant Lévesque, je lui livre le message de Jean Marchand en lui précisant qu'il aurait bien aimé le lui transmettre en personne, mais que je l'en ai dissuadé. Lévesque, touché par cette attention de son vieux camarade de combat des années cinquante et soixante

devenu pourtant son ennemi acharné, malgré la situation dramatique du moment, s'enquiert longuement : « Comment va-t-il ? Que devient-il ? Que pense-t-il de tout ça ? »

Chez René Lévesque, même dans les instants de plus grande tension, l'homme dépassait toujours le politicien.

Le samedi 24 octobre 1987, Corinne et René reçoivent à dîner dans l'appartement de l'île des Sœurs où ils viennent juste d'emménager. Corinne sert un koulibiac de saumon à ses six invités : Lorraine et Bernard Landry, Francine et Jacques Joli-Cœur, et nous.

L'occasion est rare, le couple recevait peu ; pour Corinne, la cuisine était un art si mystérieux et périlleux qu'elle ne s'y adonnait à peu près jamais, attitude qu'elle partageait largement avec Louise. Aussi, ce soir-là, s'était-elle fait beaucoup aider.

Depuis deux ans déjà, Lévesque a quitté la vie politique. La « grande fatigue » des derniers mois de pouvoir est loin derrière. Il a beaucoup voyagé, dévoré à la douzaine les livres que son emploi du temps de premier ministre ne lui avait pas laissé le loisir de lire, écrit ses 525 pages de mémoires (*Attendez que je me rappelle…*) et surtout retrouvé ce métier de journaliste qui lui avait tant manqué depuis 1960 – mise à part son activité de chroniqueur de 1970 à 1973 –, car il travaillait sur une série télévisée.

S'ils avaient été présents, ceux qui prétendaient que Lévesque avait renié, ou tout au moins délaissé, son but auraient ravalé leurs accusations. Sa quête d'un Québec indépendant était intacte. Mieux, son idéal s'était enrichi de tout ce qu'il avait vu et lu depuis deux ans, nourri de réflexions longuement mûries. Le désir était redevenu passion.

« Les problèmes non réglés, comme une douleur lancinante, remontent toujours à la surface, finissent toujours par nous rattraper, nous dit-il. La question du Québec au sein du Canada est aussi vive que jamais. Elle devra nécessairement aboutir un jour ou l'autre. »

Tout en Lévesque respire la sérénité, à peine perçoit-on une certaine lassitude, non de l'esprit, mais du corps : signe précurseur ?

Le service du vin est solennel. En grande pompe, Lévesque débouche un romanée-conti qui lui avait été offert au domaine même où, durant son voyage de noces, en 1979, il avait été reçu. « Sûrement le meilleur vin du monde, dit-il. Goûtons-le bien, on n'en boit qu'une fois dans sa vie. »

Huit jours plus tard, le 1er novembre, dans ce même appartement, une crise cardiaque foudroyait René Lévesque.

Visite du vignoble de Romanée-Conti en Bourgogne.
Le couple se verra offrir une bouteille de ce clos fabuleux. Au moment de boire ce vin, René Lévesque dira : « on n'en boit qu'une fois dans sa vie ». Il mourra la semaine suivante.
Collection particulière

René Lévesque est conduit à son dernier repos. 1987.
Photo : Archives *La Presse*

À la demande de Martine Tremblay, la dernière directrice de cabinet de René Lévesque, à qui Corinne avait confié l'organisation des funérailles, Louise s'est retrouvée « placière » à la basilique de Québec. En fait, Martine cherchait quelqu'un qui connaissait bien les anciens ministres, collègues et amis de René Lévesque et un peu le protocole, de sorte que chacun trouve une place dans les rangées de droite réservées aux personnes qui avaient servi dans son gouvernement. Il s'agissait surtout de s'assurer que chacun serait satisfait. Tâche toujours délicate, même en ces circonstances tragiques.

Une fois installés derrière tout ce beau monde, nous eûmes le loisir de remarquer la présence, qui pouvait sembler incongrue, de la gouverneure générale du Canada, Jeanne Sauvé. Mais Mme Sauvé avait connu Lévesque dans la première période de sa vie et tenait à lui rendre hommage. Le sénateur Jean Marchand aussi était présent pour témoigner de leur vieille amitié.

Notre surprise vint cependant de l'absence d'élus américains : aucun des gouverneurs, anciens ou actuels, des États limitrophes du Québec n'était présent. Pourtant, Lévesque avait travaillé avec eux dans nombre d'organismes régionaux et noué des liens personnels avec plusieurs.

La France, elle, était venue en force dans un avion officiel de la République : Jacques Chaban-Delmas, le président de l'Assemblée nationale et ancien premier ministre, était à la tête d'une délégation dont faisait partie Pierre Mauroy, lui aussi ancien premier ministre, avec lequel René Lévesque avait vraiment sympathisé. En sortant de la basilique, Mauroy dit à Louise, alors qu'elle le remerciait d'avoir pris le temps de venir jusqu'à Québec, qu'il aurait été inconcevable pour lui de ne pas se déplacer pour un dernier adieu à son ami.

Un dernier regard plein de respect. 1987.
Photo : Armand Trottier, *La Presse*

Nos remerciements à
Alice et Philippe Amyot
pour nous avoir généreusement ouvert
leurs albums de photographies de famille.

Merci également à
Francine et Jacques Joli-Cœur, à Martine Tremblay et à Luc Chartier
pour leur contribution à la publication de cet ouvrage.

Légendes des photos pleine page

Page 8
Photo : Jean-Yves Létourneau, *La Presse*

Page 12
Au lendemain de la victoire du PQ, en 1976. Claude Morin, Robert Burns et René Lévesque.
Photo : Archives *La Presse*

Pages 14-15
Archives *La Presse*

Pages 22-23
Corinne Côté-Lévesque et René Lévesque lors de l'ouverture des Floralies le 17 mai 1980.
Photo : Armand Trottier, *La Presse*

Pages 28-29
Louise Beaudoin et René Lévesque au cours de la campagne électorale de 1976.
Collection particulière

Page 38
Photo : Luc Chartier

Page 42
Le premier ministre du Québec lors du rapatriement de la Constitution. 1982.
Photo : Ron Poling, Archives *La Presse*

Page 68
René Lévesque, le chef du Parti québécois, avec Bernard Landry, avocat et économiste. 1972.
Photo : Pierre McCann, *La Presse*

Pages 72-73
Valéry Giscard d'Estaing et René Lévesque « réglant le sort du monde ». Commentaire manuscrit de René Lévesque au verso de la photo. 1980.

Page 90
Avec le président François Mitterrand au palais de l'Élysée. À côté de Lévesque, Jacques Brassard. Mai 1985.
Photo : Service photographique – Présidence de la République française.

Pages 94-95
Avec François Mitterrand en mai 1985 à l'Élysée.
Collection particulière

Page 113
René Lévesque et Corinne Côté-Lévesque en voyage de noces à Paris. Avril 1979.
Collection particulière

Page 119
Le président du Parti québécois, René Lévesque, le député de Saint-Jacques, Claude Charron, et le président du comité exécutif, Jacques Parizeau. 1972.
Photo : Jean-Yves Létourneau, *La Presse*

Toutes les photos des collections particulières ont été numérisées et traitées par François Dorlot.